Pour Ruth

Traduction d'Anne de Bouchony

ISBN : 978-2-07-054444-8
Titre original : *The Scarecrow's Hat*
Publié pour la première fois par Andersen Press Ltd, Londres
© Ken Brown 2000, pour le texte et les illustrations
© Gallimard Jeunesse 2000, pour la traduction française,
2008, pour la présente édition

Numéro d'édition : 97061
Loi n° 49-956 du 16 juillet 1949
sur les publications destinées à la jeunesse
Dépôt légal : décembre 2007
Imprimé en Italie par Zanardi Group
Maquette : Barbara Kekus

Ken Brown

Le chapeau de l'épouvantail

GALLIMARD JEUNESSE

– Voilà un bien beau chapeau, dit la poule à l'épouvantail.
– Oui, c'est vrai, répondit l'épouvantail, mais je préférerais avoir
une canne. Je suis debout ici depuis des années et mes bras sont
tellement fatigués... Je rêve d'une canne sur laquelle m'appuyer.
Je serais prêt à échanger mon chapeau contre
une canne n'importe quand.

La poule n'avait pas de canne,
mais connaissait quelqu'un qui en avait une.

–Voilà une bien jolie canne, dit la poule au blaireau.
–Oui, c'est vrai, répondit le blaireau, mais je préférerais avoir
un ruban. Il se met à faire chaud et ça sent le renfermé sous terre,
alors je tiens ma porte ouverte en la calant avec ma canne,
mais je trébuche tout le temps dessus. Si j'avais un ruban,
je pourrais attacher la porte. Je serais prêt à échanger ma canne
contre un ruban n'importe quand.

La poule n'avait pas de ruban, mais connaissait
quelqu'un qui en avait un.

–Voilà un bien joli ruban, dit la poule au choucas.
–Oui, c'est vrai, dit le choucas, mais je préférerais avoir
un peu de laine. Mon nid est perché sur cette corniche rocheuse,
et la vie y est très pénible. Je rêve d'un peu de laine chaude
et douce pour le rendre plus confortable. Je serais prêt à échanger
ce ruban contre de la laine n'importe quand.

La poule n'avait pas de laine,
mais connaissait quelqu'un qui en avait.

–Voilà un bien beau manteau de laine, dit la poule au mouton.
–O ui, c'est vrai, répondit le mouton, mais je préférerais avoir
une paire de lunettes. Je dois surveiller le loup et mes yeux
ne sont plus aussi bons qu'autrefois. J'ai vraiment besoin
d'une paire de lunettes. Je serais prêt à échanger un peu
de ma laine contre une paire de lunettes n'importe quand.

La poule n'avait pas de paire de lunettes,
mais connaissait quelqu'un qui en avait une.

–Voilà une bien belle paire de lunettes,
dit la poule à la chouette.
–Oui, c'est vrai, répondit la chouette. Mes vieilles lunettes sont
cassées, et j'ai dû en prendre une nouvelle paire. Mais je préférerais
avoir une couverture sous laquelle dormir car le soleil entre
par ma fenêtre et me tient éveillée toute la journée. Je serais prête
à échanger mes lunettes contre une couverture n'importe quand.

La poule n'avait pas de couverture,
mais connaissait quelqu'un
qui en avait une.

–Voilà une bien belle couverture, dit la poule à l'âne.
–Oui, c'est vrai, répondit l'âne. Mais je préférerais avoir
quelques plumes. Les mouches me rendent fou, à bourdonner
autour de mes oreilles. Ma queue n'est pas tout à fait assez
longue pour les chasser ; si je la prolongeais de quelques
plumes, je pourrais les balayer facilement. Je serais prêt
à échanger ma couverture contre quelques longues plumes
n'importe quand.

En un clin d'œil, la poule arracha une, deux, trois
de ses longues plumes et les attacha à la queue de l'âne.

L'âne était enchanté et, comme convenu,
échangea sa couverture contre les plumes.

La poule porta la couverture à la chouette
qui l'échangea contre ses lunettes (les vieilles, bien sûr).

Elle porta les lunettes au mouton
qui les échangea contre sa laine.

Elle porta la laine au choucas
qui l'échangea contre son ruban.

Elle porta le ruban au blaireau
qui l'échangea contre sa canne.

Enfin, elle porta la canne à l'épouvantail.
Avec un soupir de soulagement, il appuya ses bras
fatigués sur la canne et, reconnaissant, l'échangea bien
volontiers contre son vieux chapeau cabossé.

La poule prit le chapeau et le remplit d'une paille fraîche
à l'odeur sucrée.
– Voilà un bien beau nid, dit le canard.
– Oui, c'est vrai, répondit la poule, et je ne l'échangerais
pour rien au monde !

L'AUTEUR - ILLUSTRATEUR

Ken Brown est né à Birmingham. Après des études d'art à l'université de sa ville natale, Ken s'installe à Londres. Il se lance dans la publicité et devient directeur artistique. Il travaille ensuite une dizaine d'années pour la BBC, puis crée, en 1980, son propre studio de publicité et de graphisme. Ensuite il abandonne tout pour se consacrer à l'illustration de livres pour enfants, un art qu'il partage avec sa femme, Ruth Brown, publiée elle aussi par Gallimard.

Ken a écrit et illustré de nombreux albums publiés chez Gallimard Jeunesse : *Pourquoi pas moi ?*, *Le loup arrive !*, *Grand-Mère Loup, y es-tu ?*, ainsi que les aventures de Salsifi, le petit chien (*Le Noël de Salsifi*, *Salsifi ça suffit !*, *Salsifi, petit monstre !*). Ken et Ruth ont créé ensemble *Le Lion des hautes herbes*. Ils ont deux fils, aujourd'hui adultes.

folio benjamin

La collection **folio benjamin** met à votre portée nos trésors des premières lectures à partager et à donner à lire aux enfants : les meilleurs auteurs et illustrateurs d'aujourd'hui qui savent **raconter**, faire **rêver**, rire, sourire, apprivoiser la vie quotidienne, ouvrir l'**imaginaire**, susciter câlins et confidences…

niveau 2
je lis tout seul

Voici quelques-uns titres de niveau 2, **je lis tout seul** (niveau de lecture établi par notre conseil pédagogique).

n° 2 par
Allan et Janet Ahlberg

n° 58 par Kate Banks
et Georg Hallensleben

n° 101 par Robert Barry

n° 63 par Jutta Bauer

n° 7 par
Henriette Bichonnier
et Pef

n° 132 par
Henriette Bichonnier
et Pef

n° 10 par
Quentin Blake

n° 12 par
Quentin Blake

n° 3 par Erik Blegvad

n° 126 par
Emma Chichester Clark

n° 17 par Babette Cole

n° 129 par
Julia Donaldson
et Axel Scheffler

n° 57 par Colin
et Jacqui Hawkins

n° 61 par Kevin Henkes

n° 62 par Kevin Henkes

n° 114 par
Satoshi Kitamura

n° 19 par
Colin McNaughton

n° 42 par
Colin McNaughton

n° 27 par Pef

n° 128 par Pef

n° 88 par William Steig

n° 100 par
Rosemary Wells

n° 116 par
Jeanne Willis
et Tony Ross

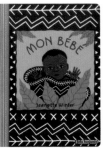

n° 6 par
Jeanette Winter

n° 94 par John Yeoman
et Quentin Blake